A
pleins
paniers
l'auto-
mne

nous apporte des pommes. Petites et grosses, rouges, jaunes, vertes et grises, odorantes et douces, les voici chez nous à profusion. Fruit, nous allons les consommer crues comme Adam et Eve à l'aube du monde, mais aussi cuites et préparées de multiples façons. Légume frais, les pommes vont nous aider à confectionner de délicieux plats salés qui apporteront une note originale dans nos menus. La pomme est célèbre aussi pour les diverses boissons qu'elle offre : jus de pomme, cidre doux ou brut et eau-de-vie (calvados). D'autre part, les pommes sont riches en vitamines et d'une teneur faible en calories. Elles conviennent tout particulièrement aux régimes diabétiques et amincissants.
Au marché, nous trouverons, échelonnées sur plusieurs mois, différentes catégories de fruits, permettant ainsi la réalisation de recettes nombreuse et va riées.

BOSKOP

Récolte : *fin septembre*
Conservation : *jusqu'en janvier*
Caractéristiques : *acidulée et parfumée. Chair ferme.*

ELSTAR

Récolte : *début septembre*
Conservation : *1 mois*
Caractéristiques : *croquante, juteuse, assez sucrée mais rafraîchissante.*

GOLDEN

Récolte : *fin septembre*
Conservation : *jusqu'en février*
Caractéristiques : *parfumée et peu acide, souvent très sucrée.*

GOLD JOHN

Récolte : *début octobre*
Conservation : *jusqu'en janvier*
Caractéristiques : *chair croquante, ferme, intense et parfumée.*

GRANNY-SMITH

Récolte : *fin octobre*

Conservation : *5 mois*

Caractéristiques : *chair acidulée, croquante et juteuse.*

JAMES GRIEVE

Récolte : *mi-août*

Conservation : *3 semaines*

Caractéristiques : *chair sucrée, jutcuse et parfumée.*

JONAGOLD

Récolte : *début octobre*

Conservation : *jusqu'en mars*

Caractéristiques : *chair croquante, jutcuse et parfumée.*

MELROSE

Récolte : *début octobre*

Conservation : *jusqu'en mai*

Caractéristiques : *chair assez ferme, juteuse, sucrée et peu acidulée.*

REINE DES REINETTES

Récolte : *mi septembre*

Conservation : *jusqu'à mi-décembre*

Caractéristiques : *chair croquante et acidulée.*

REINETTE DU CANADA

Récolte : *début octobre*

Conservation : *jusqu'en janvier*

Caractéristiques : *chair acidulée.*

CONSEILS

CONSERVATION

Il faut conserver les pommes dans un endroit frais, humide et à l'abri de la lumière en les plaçant dans un sachet plastique perforé ou dans un panier recouvert d'un plastique.

CUISSON

Citronner les pommes au fur et à mesure qu'on les épluche, ou qu'on les coupe, pour éviter qu'elles noircissent.
Les cuire rapidement.

Betteraves cuites aux pommes

✗○

Prép. : 30 mn. Cuiss. : 5 mn.

4 pers.

300 g. de pommes / 1 citron / 2 oignons doux / 300 g. de betteraves cuites / 2 yaourts nature / 3 cuil. à soupe de ciboulette hachée / 1 gousse d'ail écrasée / Sel, poivre / 1 cuil. à café de graines de cumin.

Peler les pommes. Enlever les pépins. Les couper en lamelles fines. Les citronner. Peler les oignons. Les couper en rondelles. Les défaire et les blanchir 5 minutes à l'eau bouillante salée. Egoutter. Peler les betteraves. Les détailler en lamelles.

Dans un bol, mélanger le yaourt, la ciboulette, l'ail, le jus de citron de macération. Saler, poivrer. Saupoudrer de cumin.

Disposer les pommes, les betteraves et les oignons dans un plat de service.

Servir frais arrosé de sauce.

Salade de chou blanc aux pommes

✗ ○

Prép. : 30 mn. Cuiss. : 3 mn.

4 pers.

1/2 chou blanc / Sel, poivre / 500 g. de pommes acides / 2 citrons / 5 cuil. à soupe d'huile / 2 échalotes hachées / 30 g. de cerneaux de noix hachés / Persil.

Laver le chou. Le couper en très fines lanières. Le blanchir 3 minutes à l'eau bouillante salée. Egoutter. Peler les pommes. Les épépiner. Les couper en fine julienne. Les citronner.

Dans un saladier, préparer une vinaigrette. Ajouter les échalotes, les noix, le chou et les pommes.

Servir parsemé de persil.

Salade de céleri aux pommes

✗ ○

Prép. : 30 mn. Macération : 1 h.

4 pers.

1 céleri-rave / 4 pommes acides / 2 citrons / 1 oignon / 50 g. de cerneaux de noix / 0,5 dl. d'huile / Sel, poivre / 250 g. de crème fouettée / Cresson / Persil.

Couper le céleri en très fines lamelles. Peler les pommes. En râper trois à la grosse râpe, en découper une en quartiers. Citronner.

Mettre dans un saladier le céleri, les pommes et l'oignon râpés, les noix, l'huile. Saler et poivrer. Poser un couvercle. Laisser reposer 1 heure.

Au moment de servir, mélanger à la crème fouettée.

Servir accompagné de tranches de pommes, du cresson et du persil.

Salade de chou au gouda et aux pommes

✗ ○

Prép. : 35 mn. Cuiss. : 5 mn.

4 pers.

50 g. de raisins de Corinthe / 2 pommes / 1 citron / 250 g.
de chou blanc / 200 g. de gouda râpé grossièrement / 50 g.
de noix hachées / 2 carottes râpées / 150 g. de crème
fraîche / Sel, poivre, persil.

Faire gonfler les raisins dans de l'eau tiède.

Peler les pommes. Les râper. Les citronner.

Préparer le chou. Le couper en fines lanières. Le
blanchir 5 minutes à l'eau bouillante salée. Egoutter.

Mélanger les pommes, le chou, le fromage, les noix
les raisins, les carottes et la crème fraîche. Saler et poivrer.

Servir saupoudré de persil haché.

Salade variée aux pommes

✕ ○

Prép. : 35 mn. Cuiss. : 10 mn.

4 pers.

3 endives / 3 pommes acides / 1 citron / 1 pamplemousse détaché en quartiers / 3 cuil. à soupe de vinaigre / 5 cuil. à soupe d'huile / 1 cuil. à soupe de raifort / 1 yaourt / Ciboulette / Sel, poivre, piment (facultatif) / 1 scarole / 6 cornichons coupés en tranches / 2 œufs.

Cuire les œufs 10 minutes à l'eau bouillante.

Peler les pommes. Enlever le cœur. Les couper en tranches. Citronner. Enlever la partie amère des endives. Les tailler en lanières. Les verser dans une jatte avec 2 pommes pelées et coupées en petits dés. Ajouter le pamplemousse.

Préparer une sauce avec le vinaigre, l'huile, le raifort, le yaourt et 2 cuillerées à soupe de ciboulette hachée. Eplucher et laver la salade. La tailler en chiffonnade. La placer au fond d'un saladier. Arroser de sauce. Ecaler les œufs. Décorer de tranches de pommes, de cornichons et des œufs.

Servir frais saupoudré de ciboulette.

Cocktail de fruits aux pommes

✕ ○

Prép. : 35 mn.

4 pers.

500 g. de pommes / 1 citron / 2 branches de céleri coupé fin / 1 carotte coupée en julienne / 50 g. de gruyère coupé en dés / 50 g. de cerneaux de noix / 125 g. de raisins blancs ou noirs / Le zeste et le jus d'1 orange / 1 yaourt nature / Quelques feuilles de laitue / Feuilles de menthe.

Peler les pommes. Les couper en dés. Les citronner. Les mélanger avec le céleri, les carottes, le gruyère, les noix, les raisins, le zeste et le jus de l'orange et le yaourt.

Disposer les feuilles de laitue dans des plats individuels. Répartir le mélange au-dessus. Saupoudrer de feuilles de menthe ciselées.

Salade d'endives aux pommes

✕○

Prép. : 35 mn.

4 pers.

500 g. d'endives / 2 pommes reinettes / 1 citron / Sel, poivre / 2 cuil. à soupe de vinaigre / 3 cuil. à soupe d'huile / 50 g. de cerneaux de noix hachés / Ciboulette.

Laver rapidement les endives. Enlever la partie amère de la base. Les couper en lanières.

Peler les pommes. Enlever le cœur. Les découper en petits cubes. Les citronner.

Dans un saladier, préparer une vinaigrette. Ajouter les endives, les noix et les pommes. Mélanger.

Servir parsemé de ciboulette.

Croûtes aux pommes ✕○

Prép. : 35 mn. Cuiss. : 5 mn.

4 pers.

*2 pommes / 4 tranches de pain complet / 50 g. de beurre /
2 tranches de jambon cru / 2 cuil. à soupe de chutney à la
tomate / 2 échalotes hachées / 150 g. de gruyère râpé.*

**Peler les pommes. Les couper en tranches. Faire
fondre les échalotes dans l'huile. Griller légèrement le
pain des deux côtés. Le beurrer. Poser au-dessus les
tranches de pommes. Recouvrir du jambon. Etaler le
chutney, les échalotes et le gruyère. Faire dorer au gril.
Servir aussitôt.**

Toasts aux pommes ✕○

Prép. : 35 mn. Cuiss. : 5 mn.

4 pers.

*4 tranches de pain de mie / 50 g. de beurre / 4 tranches de
bacon / 200 g. de gruyère râpé / 25 g. de noix hachées / 2
pommes / Le jus d'1 citron / Tabasco / Sel, poivre, persil.*

**Faire légèrement griller le pain des deux côtés. Tarti-
ner de beurre. Poser au-dessus une tranche de bacon.
Peler et râper les pommes. Les mélanger avec le jus
de citron, un peu de tabasco. Saler, poivrer, étaler sur
les tranches de pain. Faire dorer au gril. Saupoudrer de
persil.
Servir aussitôt.**

Foie gras frais aux pommes

✕✕ ⌀⌀⌀

Prép. : 35 mn. Macération : 1 h.

Cuiss. : 15 mn. - 4 pers.

1 foie frais de 600 g. | 1 verre à liqueur de cognac | Sel, poivre | 4 pommes | 150 g. de beurre | 20 g. de farine.

Trancher le foie en 4 escalopes. Saler et poivrer. Les faire macérer 1 heure dans le cognac.

Éplucher les pommes. Les couper en 8 quartiers. Dans une sauteuse, avec la moitié du beurre, les faire cuire 5 minutes en remuant.

Sécher et fariner les escalopes. Les cuire au beurre 5 minutes de chaque côté.

Disposer sur un plat chaud. Déglacer la poêle avec le liquide de macération.

Servir les escalopes chaudes nappées de sauce et accompagnées de pommes sautées.

Pommes farcies ✗○

Prép. : 55 mn. Cuiss. : 55 mn.

4 pers.

4 pommes acides / 150 g. de veau haché / 50 g. de céleri haché / 3 cuil. à soupe d'huile / 6 échalotes hachées / 50 g. d'amandes grillées hachées / 30 g. de raisins de Corinthe / 50 g. de crème fraîche / Sel, poivre / 20 g. de beurre.

Faire gonfler les raisins dans de l'eau tiède.

Creuser les pommes. Les inciser horizontalement. Faire dorer la viande dans l'huile. Ajouter les échalotes et le céleri. Faire revenir à feu vif 10 minutes en remuant. Ajouter les amandes, les raisins égouttés, la crème fraîche, saler, poivrer. Remplir les pommes de la préparation. Les disposer dans un plat à gratin beurré. Coiffer d'une noix de beurre. Cuire au four, th. 6, 45 minutes.

Servir chaud.

Pommes farcies au cognac

X ∞

Prép. : 25 mn. Cuiss. : 45 mn.

4 pers.

4 pommes aigres / 2 cuil. à soupe d'huile / 4 échalotes hachées / 100 g. de champigons de Paris émincés / 50 g. de jambon cru haché / 100 g. de chair à saucisse / 1 cuil. à soupe de farine / 50 g. de crème fraîche / 2 cuil. à soupe de cognac.

Laver les pommes. Les inciser horizontalement. Les évider.

Faire fondre les échalotes dans l'huile. Ajouter les champignons, le jambon, la chair à saucisse. Cuire 10 minutes à feu vif en remuant. Saupoudrer de farine. Verser la crème fraîche et le cognac. Remplir les pommes de la préparation. Les disposer dans un plat à gratin beurré. Cuire au four, th. 6, 35 minutes.

Servir chaud.

St-Jacques aux pommes

Prép. : 35 mn. Cuiss. : 35 mn.

4 pers.

8 coquilles St-Jacques / 50 g. de beurre / 3 échalotes ha-
chées / 1 l. de cidre / Sel, poivre / 100 g. de crème fraî-
che / 600 g. de pommes / 1/2 l. d'eau / 1 citron.

Faire ouvrir les coquilles. Enlever les noix et le corail.
Les laver, les essuyer. Les couper en escalopes.

Dans une casserole mettre le beurre, les échalotes,
1/2 l. de cidre et les coquilles. Saler, poivrer. Porter à
ébullition, maintenir 10 minutes. Egoutter. Garder au
chaud.

Réduire le liquide de cuisson. Ajouter la crème
fraîche et les St-Jacques.

Peler les pommes. Les couper transversalement.
Enlever le cœur. Porter à ébullition l'eau et le cidre restant. Plonger les pommes par petite quantité. Cuire 15
minutes. Egoutter.

Disposer les coquilles, les pommes et les rondelles
de citron sur un plat de service.

Servir chaud.

Filets de lieu aux pommes

Prép. : 30 mn. Cuiss. : 10 mn.

4 pers.

600 g. de filets de lieu / 3 blancs de poireaux / 2 pommes /
1 pincée de curry / Poivre, sel / 1 verre de vin blanc sec /
1 citron.

Emincer les blancs de poireaux.

Eplucher les pommes. Les couper en cubes.

Dans un plat à gratin beurré, disposer les poireaux,
les pommes. Poser au-dessus les filets de lieu. Saupoudrer de curry. Saler, poivrer. Arroser de vin blanc. Cuire
au four, th. 6, 10 minutes. Retirer le poisson. Garder au
chaud. Passer au tamis les pommes et les poireaux.
Mélanger au liquide de cuisson. Ajouter le jus de
citron.

Servir le filet de lieu nappé de sauce aux pommes.

Lotte aux pommes douces

✕ ∞

Prép. : 45 mn. Cuiss. : 40 mn.

Macération : 2 h. - 4 pers.

4 tranches de lotte / 2 citrons / 1 cuil. à café de sel / 30 g. de farine / 125 g. de beurre / 4 pommes / Persil haché.

Laisser mariner les tranches de lotte dans le jus de citron et le sel pendant 2 heures. Egoutter. Fariner. Cuire doucement 10 minutes à la poêle, de chaque côté.

Peler les pommes. Les couper en rondelles épaisses. Enlever le cœur. Dans une sauteuse, avec 100 g. de beurre, les faire étuver à feu doux 15 minutes.

Disposer les tranches de poisson et les pommes dans un plat chaud. Arroser de beurre fondu. Servir saupoudré de persil.

Merlan aux pommes   ✕ ○

Prép. : 55 mn. Cuiss. : 45 mn.

4 pers.

4 merlans | Sel, poivre | 2 oignons | 3 cuil. à soupe d'huile | Le jus de 2 citrons | 4 grosses pommes | 1 cuil. à soupe de vinaigre de cidre | Persil haché.

Préparer les poissons. Les saler et les poivrer.

Faire étuver les oignons dans 2 cuillerées à soupe d'huile pendant 30 minutes.

Les arroser du jus d'1 citron. Assaisonner. Remplir les poissons de cette farce. Fermer d'un bâtonnet de bois. Badigeonner d'huile. Cuire sous le gril 10 minutes en les retournant.

Peler les pommes. Enlever les pépins. Les couper en lamelles. Les mettre dans une casserole avec le jus de citron restant, le vinaigre, du persil et un peu d'eau. Saler, poivrer, couvrir. Cuire très doucement 5 minutes. Egoutter.

Servir les merlans sur un lit de pommes, parsemés de persil haché.

Papillotes de St-Pierre   ✕✕ ○○○
aux pommes

Prép. : 45 mn. Cuiss. : 30 mn.

4 pers.

4 filets de St-Pierre | 1 flacon de poivre vert | 1 feuille de laurier | Thym en poudre | 100 g. de beurre | 4 pommes | Sel.

Etaler les filets de poisson. Saler, saupoudrer de thym. Répartir le poivre vert égoutté. Les rouler et les ficeler.

Découper 4 rectangles de papier aluminium. Les beurrer. Disposer au-dessus le poisson, une noisette de beurre et du laurier. Refermer les papillotes en ourlant les bords. Les placer dans un plat à gratin. Réserver.

Evider les pommes non pelées. Les inciser tout autour. Les disposer dans un plat de terre beurré. Mettre une noisette de beurre au centre. Saler et poivrer.

Cuire les deux préparations au four. D'abord les pommes, th. 6, 20 minutes, puis avec le poisson 10 minutes.

Servir chaud.

Escalopes de saumon aux pommes

XX CCO

Marinade : 2 h. Prép. : 25 mn.

Cuiss. : 25 mn. - 4 pers.

4 escalopes de saumon frais / 1,5 dl. d'huile d'olive / Sel, poivre / 8 pommes reinettes / 1 citron / 6 échalotes hachées / 1 œuf / 30 g. de chapelure / Persil et estragon hachés.

Faire mariner dans un verre d'huile d'olive avec du sel et du poivre les tranches de saumon pendant 2 heures.

Peler les pommes. Les épépiner. Les couper en lamelles. Les mettre dans une casserole avec le jus de citron et les échalotes. Poivrer, couvrir, laisser mijoter 15 minutes.

Egoutter le saumon. Le tremper dans l'œuf battu puis la chapelure. Frire à feu vif 10 minutes en retournant. Disposer sur un plat chaud les escalopes de saumon et les pommes.

Servir saupoudré de persil et d'estragon.

Truites à la sauce aux pommes

✕✕ ◍

Prép. : 35 mn. Cuiss. : 1 h. 10 mn.

4 pers.

600 g. de pommes / 1 1/2 citron / 50 g. de beurre / 2 cuil. à soupe d'huile / 3 échalotes / 200 g. de champignons de Paris émincés / 1 gousse d'ail écrasée /1/2 l. de cidre / 1 l. d'eau / Thym, laurier, 1 clou de girofle / Sel, poivre, persil.

Peler les pommes. Enlever le cœur. Les tailler en fines tranches. Les citronner. Les mettre dans une casserole avec le beurre. Etuver 15 minutes. Réserver.

A la suite, faire fondre les échalotes dans l'huile. Ajouter les champignons. Faire revenir 10 minutes. Introduire l'ail, le cidre et l'eau, une mousseline contenant le thym, le laurier, le clou de girofle et le demi-citron. Saler, poivrer. Faire bouillir 30 minutes.

Plonger les truites dans la préparation. Pocher 15 minutes. Egoutter. Garder au chaud. Retirer les épices. Faire réduire le court-bouillon. Filtrer. Mixer avec les pommes.

Servir les truites chaudes, parsemées de persil haché et nappées de sauce.

Turbot aux pommes

✕✕ ◍

Prép. : 50 mn. Cuiss. : 55 mn.

4 pers.

4 filets d'1 turbot d'1 kg. environ / Sel, poivre / 1 citron / 125 g. de beurre / 40 g. de farine / 200 g. de crème fraîche / 100 g. de gruyère râpé / 1 kg. de pommes.

Laver et éponger les filets de turbot. Les saler, les poivrer, les arroser de jus de citron. Les disposer dans un plat à gratin beurré.

Dans une casserole, faire fondre 50 g. de beurre. Ajouter la farine, la crème fraîche, du sel et du poivre. Cuire doucement 15 minutes en remuant. Mélanger le gruyère et verser la préparation sur le poisson. Parsemer de noisettes de 30 g. de beurre. Cuire au four, th. 5, 20 minutes.

Peler les pommes. Les couper en rondelles. Les disposer dans un plat à gratin beurré. Eparpiller des noix de beurre. Cuire avec le poisson 20 minutes.

Servir directement dans le plat de cuisson.

Faisan aux pommes ✗✗ ◌◌◌

Prép. : 55 mn. Cuiss. : 45 mn.

4 pers.

50 g. de raisins de Corinthe / 1 faisan / 3 cuil. à soupe d'huile / 800 g. de pommes / 50 g. de beurre / 1 cuil. à café de cannelle en poudre / 100 g. de crème fraîche / 1 verre à liqueur de calvados / Sel, poivre.

Faire gonfler les raisins dans de l'eau tiède.

Préparer le faisan. Le faire dorer dans une cocotte avec l'huile. Réserver.

Eplucher les pommes. Enlever les cœurs. Les couper en fines lamelles. Les faire dorer à la poêle à feu vif 5 minutes. En verser la moitié dans la cocotte.

Poser le faisan au-dessus. Recouvrir des pommes restantes. Saupoudrer de cannelle. Ajouter la crème fraîche, les raisins égouttés, le calvados. Saler, poivrer. Couvrir. Laisser mijoter 40 minutes.

Servir très chaud.

Cailles aux pommes rôties

XX ⊙⊙

Prép. : 50 mn. Cuiss. : 30 mn.

4 pers.

2 grosses pommes rôties / 50 g. de beurre / 4 cailles / 4 cuil. à soupe de cognac / 4 fines bardes de lard / 4 tranches de pain.

Eplucher les pommes. Les couper en deux. Enlever le cœur. Placer une noix de beurre au centre. Les envelopper dans une papillote d'aluminium. Cuire au four, th. 6, 20 minutes.

Préparer les cailles. Les flamber au cognac. Entourer chaque oiseau d'une barde de lard. Cuire au four, 10 minutes.

Faire dorer au beurre les tranches de pain.

Servir les cailles sur les croûtons accompagnées des pommes rôties.

Chevreuil aux pommes et aux airelles

XXX ⊙⊙⊙

Prép. : 40 mn. Marinade : 2 h.

Cuiss. : 55 mn. - 4 pers.

800 g. de filet de chevreuil coupé en tranches / 2 citrons / 2 clous de girofle / Sel, poivre, persil haché / Thym, laurier / 1 dl. d'huile d'olive / 80 g. de beurre / 8 pommes moyennes / 250 g. d'airelles.

Faire mariner le chevreuil 2 heures dans le jus de citron, du sel, du poivre, du persil, du laurier et de l'huile d'olive.

Piquer les pommes à la fourchette. Creuser l'intérieur en forme de fleur (à l'emporte-pièce). Enlever les pépins. Remplir la cavité d'airelles. Coiffer d'une noix de beurre. Cuire au four, th. 6, 45 minutes.

Eponger la viande. La faire rôtir 5 minutes de chaque côté dans 60 g. de beurre. Disposer la viande et les pommes sur un plat de service chaud.

Servir parsemé de persil.

Rôti de chevreuil aux pommes

XX OOO

Prép. : 30 mn. Marinade : 3 jours

Cuiss. : 1 h. 45 mn. - 4 pers.

1 kg. de rôti de chevreuil / 2 l. de bon vin rouge / 15 g. de sucre / 1 cuil. à café de poivre en grains / 3 clous de girofle / Muscade râpée, laurier, thym, sauge, romarin / Sel, poivre / 3 cuil. à soupe d'huile / 1 kg. de pommes / 80 g. de beurre / 1 cuil. à café de cannelle.

Mélanger le vin, le sucre et les épices. Faire bouillir 30 minutes. Passer et mettre la viande à mariner 3 jours en la retournant de temps en temps. Egoutter et sécher. Dorer le rôti dans l'huile. Le disposer dans un plat allant au four. Saler, poivrer. Cuire au four chaud, th. 6, 1 heure 15 minutes. Arroser souvent de marinade.

Peler les pommes. Les émincer. Les faire fondre doucement 15 minutes dans une casserole avec le beurre. Saler, poivrer, saupoudrer de cannelle.

Servir le rôti très chaud, accompagné des pommes.

Canard aux reinettes

Prép. : 1 h. 15 mn. Cuiss. : 1 h.

4 pers.

1 canard de 1,200 kg. coupé en morceaux / 3 cuil. à soupe d'huile / 1 kg. de pommes reinettes du Mans / 1 dl. d'eau / 1 cuil. à café de cannelle / 1 citron / Sel, poivre / 1 cuil. à soupe de feuilles d'estragon.

Faire dorer les morceaux de canard dans l'huile.

Eplucher les pommes. Les couper en quatre. Enlever le cœur. Les disposer dans un plat à gratin huilé. Mélanger l'eau, la cannelle, le jus de citron, du sel, du poivre. Verser sur les pommes. Poser au-dessus les morceaux de canard. Saupoudrer d'estragon. Cuire au four, th. 7, 30 minutes. Ajouter un peu d'eau si besoin. Réduire le feu à th. 5. Continuer la cuisson 1/2 heure.

Servir le canard très chaud accompagné des pommes caramélisées.

Canard farci aux pommes

Prép. : 50 mn. Cuiss. : 1 h. 05 mn.

4 pers.

1 caneton de 1,200 kg. avec son foie / 600 g. de pommes / 1 oignon émincé / 2 cuil. à soupe d'huile / 2 cuil. à soupe de persil haché / 200 g. de chair à saucisse / 1 petit pain / 1 dl. de lait / Marjolaine fraîche / Sel, poivre / 1 œuf.

Eplucher les pommes. Les couper en dés.

Faire fondre l'oignon dans un peu de matière grasse. Ajouter le persil, le foie haché, la chair à saucisse, le pain trempé dans le lait et essoré, la marjolaine et les pommes. Saler et poivrer. Hors du feu, lier avec l'œuf. Farcir le canard de la préparation. Le brider. Le disposer dans un plat. Cuire au four, th. 6, 1 heure en arrosant souvent.

Dégraisser le jus de cuisson.

Servir très chaud.

Canard braisé aux pommes

XX OO

Prép. : 1 h. Cuiss. : 1 h. 45 mn.

4 pers.

200 g. de raisins de Smyrne / 1 canard d'1,5 kg. / 75 g. de beurre / 1,5 dl. de vin blanc sec / 1 verre à liqueur de cognac / Sel, poivre / 1 kg. de pommes granny smith.

Faire gonfler les raisins dans de l'eau tiède.

Flamber le canard. Dans une cocotte allant au four, le faire dorer 15 minutes dans la moitié du beurre. Arroser du vin blanc et du cognac. Saler, poivrer, ajouter les raisins secs égouttés. Couvrir. Cuire au four, th. 6, 45 minutes. Vérifier la cuisson.

Eplucher les pommes. En évider 2, garnir le centre d'une noix de beurre. Les envelopper dans du papier aluminium. Les cuire au four 30 minutes. Couper les autres en quartiers. Dans une poêle, les faire cuire doucement 15 minutes avec le reste du beurre.

Disposer les pommes et le canard sur un plat de service chaud. Napper de sauce.

Servir très chaud.

Dinde aux pommes et aux pruneaux XX CXD

Prép. : 1 h. Cuiss. : 2 h. 25 mn.

8 pers.

1 jeune dinde de 2 kg. / Sel, poivre / 1,500 kg. de pommes / 200 g. de pruneaux / 1 dl. de porto / 2 dl. d'eau / 50 g. de sucre / 1 oignon haché / 75 g. de beurre.

Saler et poivrer l'intérieur de la dinde.
Eplucher les pommes. En couper deux en morceaux.
Faire gonfler les pruneaux dans le porto, l'eau et le sucre. En prélever une dizaine, les dénoyauter et les hacher. Les mélanger à l'oignon et aux pommes. En farcir la volaille. Brider. Tartiner de beurre. Cuire au four, th. 5, 1 h. 3/4 en arrosant souvent. Saler et poivrer en cours de cuisson. Lorsque la dinde est cuite, jeter la farce qui est très grasse.
Cuire les pruneaux restants 30 minutes à découvert. Egoutter.
Couper en deux les pommes restantes. Les épépiner. Les cuire doucement 10 minutes dans le liquide de cuisson des pruneaux.
Présenter la dinde sur un plat chaud accompagné des demi-pommes et des pruneaux.

Rôti de dinde aux pommes X O

Prép. : 35 mn. Cuiss. : 1 h. 15 mn.

4 pers.

1 rôti de dinde d'1 kg. / 60 g. de beurre / 1 kg. de pommes / 1 dl. de cidre / 200 g. de crème fraîche / Sel, poivre / Cerfeuil.

Dans une cocotte allant au four, faire dorer la viande dans 20 g. de beurre. Réserver.
Peler les pommes. Les épépiner. Les couper en lamelles fines. Faire fondre le reste du beurre dans la cocotte, y mettre les pommes. Poser au-dessus le rôti de dinde salé et poivré. Arroser du cidre. Couvrir. Cuire au four, th. 7, 25 minutes.
Ouvrir la cocotte, verser la crème fraîche. Continuer la cuisson 50 minutes.
Servir chaud le rôti de dinde aux pommes, saupoudré de cerfeuil haché.

Lapin et pommes au calvados

XX OOO

Prép. : 1 h. Cuiss. : 50 mn.

4 pers.

1 lapin coupé en morceaux / 3 cuil. à soupe d'huile / 1 oignon / 4 échalotes / 20 g. de farine / 3 dl. de cidre / Sel, poivre / 1 kg. de pommes / 75 g. de beurre / 1 verre à liqueur de calvados / 1 citron.

Dans une cocotte, faire dorer le lapin dans l'huile. Ajouter l'oignon et les échalotes hachées. Laisser fondre. Saupoudrer de farine. Mélanger. Verser le cidre. Saler, poivrer. Porter à ébullition. Couvrir. Laisser mijoter 45 minutes.

Eplucher et couper les pommes en quartiers. Dans une poêle, les faire sauter 5 minutes avec le beurre. Arroser du calvados tiède. Flamber. Ajouter le jus de citron.

Servir très chaud.

Poulet au coco et aux pommes

XX O

Prép. : 25 mn. Cuiss. : 55 mn.

4 pers.

4 pommes acides | 1 poulet d'1,200 kg. coupé en morceaux | Sel, poivre | 4 oignons doux coupés en rondelles | 1 citron | 60 g. de beurre | 2 cuil. à soupe de noix de coco râpée.

Peler les pommes. Les inciser au milieu. Enlever le cœur.

Saler et poivrer le poulet. Ranger les oignons dans un plat à gratin.

Disposer le poulet et les pommes au-dessus. Arroser du jus de citron. Disperser des noisettes de beurre. Cuire au four, th. 6, 45 minutes, en retournant la viande deux fois en cours de cuisson.

Sortir le plat du four. Saupoudrer de noix de coco râpée. Poursuivre la cuisson 10 minutes.

Servir très chaud directement dans le plat de cuisson.

Poulet aux pommes ✕ ⚭

Prép. : 65 mn. Cuiss. : 1 h. 15 mn.

4 pers.

1 poulet d'1,200 kg. coupé en morceaux / 2 oignons émin-
cés / 1 l. de cidre / Sel, poivre / 1 kg. de pommes / 1/2 l.
d'eau / 1 verre à liqueur de calvados / 100 g. de crème
fraîche / Persil.

Saisir le poulet dans l'huile chaude. Le sortir. A la
suite, faire fondre les oignons. Remettre la viande dans
la cocotte. Mouiller de 1/2 l. de cidre. Saler, poivrer. Couvrir. Laisser mijoter 45 minutes.

Peler les pommes. Les couper en deux. Enlever le
cœur. Porter à ébullition l'eau et le cidre restant. Plonger les pommes par petite quantité. Cuire 15 minutes.
Retirer avec une écumoire.

Disposer les pommes et le poulet dans un plat de
service. Réduire la sauce. Ajouter le calvados et la
crème fraîche. Chauffer doucement. Servir nappé de
sauce et parsemé de persil haché.

Poulet en papillotes ✗○

Prép. : 30 mn. Cuiss. : 40 mn.

4 pers.

1 poulet d'1,200 kg. coupé en morceaux / Sel, poivre / 3 cuil. à soupe d'huile / 4 pommes / Tabasco / 40 g. de beurre.

Saler et poivrer les morceaux de poulet. Les faire dorer à l'huile. Disposer chaque morceau sur une feuille d'aluminium.

Peler les pommes. Les couper en rondelles. Enlever le cœur. Les répartir au dessus du poulet. Mettre un peu de Tabasco et des noisettes de beurre. Faire des papillotes. Cuire au four, th. 5, 30 minutes.

Servir chaud directement dans la papillote.

Boudin aux pommes   ✕ ○

Prép. : 20 mn. Cuiss. : 40 mn.

4 pers.

4 portions de boudin / 1 kg. de pommes / Sel, poivre / 2 cuil. à soupe d'huile.

Laver les pommes. Les couper en quatre. Les mettre dans une casserole avec les pépins et la peau. Ajouter 3 cuillerées à soupe d'eau. Couvrir. Cuire doucement 20 minutes. Passer au tamis. Saler et poivrer légèrement. Verser dans un plat. Garder au chaud.

Piquer le boudin à la fourchette. A feu doux, le cuire 20 minutes à la poêle.

Disposer au-dessus de la purée de pomme.

Servir chaud.

Boudin blanc aux pommes

✗ ◯◯

Prép. : 45 mn. Cuiss. : 40 mn.

4 pers.

800 g. de pommes / 50 g. de beurre / 8 boudins blancs / 3 oranges entières / Le jus d'1 orange / Persil.

Peler les pommes. Les épépiner. Les couper en 8 quartiers. Les disposer dans un plat beurré. Parsemer de noisettes de beurre. Cuire au four, th. 6, 25 minutes.

Piquer le boudin. Le rôtir au beurre 15 minutes.

Peler les oranges à vif. Les séparer en quartiers. Les plonger dans l'eau bouillante 2 minutes. Egoutter.

Disposer le boudin blanc, les pommes et les oranges dans un plat chaud. Déglacer la poêle au jus d'orange, laisser réduire, rectifier.

Servir chaud nappé de sauce et parsemé de persil haché.

Foie de veau aux pommes

✗ ⬭⬭⬭

Prép. : 45 mn. Cuiss. : 30 mn.

4 pers.

600 g. de pommes / 125 g. de beurre / 2 oignons coupés en rondelles / 4 tranches de foie de veau / Sel, poivre / 1 œuf / 30 g. de chapelure / 1 dl. de vin blanc sec / Cerfeuil.

Eplucher les pommes. Les couper transversalement en rondelles d'1/2 cm d'épaisseur. Les étuver 15 minutes dans 50 g. de beurre. Garder au chaud.

A la suite, faire fondre les oignons 10 minutes. Réserver.

Poivrer les tranches de foie. Les tremper dans l'œuf battu et les rouler dans la chapelure. Les rôtir dans le reste du beurre 2 minutes de chaque côté.

Saler et disposer sur un plat de service avec les pommes et les oignons.

Déglacer la poêle au vin blanc. Verser sur le foie.

Servir chaud parsemé de cerfeuil haché.

Ris de veau aux pommes

✗ ◯

Prép. : 55 mn. Cuiss. : 30 mn.

Trempage : 1 h. 30 mn. - 4 pers.

3 noix de ris de veau / Sel / 600 g. de pommes / 100 g. de beurre / 1 cuil. à soupe de calvados / 1 dl. de vinaigre de cidre / 1 morceau de sucre / 2 échalotes émincées / 150 g. de crème fraîche / 30 g. de chapelure.

Faire dégorger les ris de veau dans de l'eau froide pendant 1 heure 30 minutes. Les peler et les blanchir 5 minutes à l'eau bouillante salée. Egoutter.

Peler les pommes. Enlever les pépins. Les couper en dés. Les faire étuver dans la moitié du beurre 15 minutes. Arroser du calvados. Réserver.

Dans une casserole, à feu vif, réduire le vinaigre et le sucre. Ajouter les échalotes et les laisser fondre. Verser la crème fraîche.

Découper le ris de veau en tranches. Les tremper dans un peu de beurre fondu et dans la chapelure. Les dorer à la poêle en les retournant.

Disposer les ris de veau et les pommes sur un plat chaud. Servir parsemé de persil haché.

Tripes aux pommes ✕✕ ∞

Prép. : 55 mn. Cuiss. : 5 h. 30 mn.

4 pers.

1 kg. de tripes coupées en carrés / 2 oignons / 2 clous de girofle / 3 carottes coupées en rondelles / 2 poireaux hachés / 1 bouquet de persil / Thym, laurier / 1 verre à liqueur de calvados / Sel, poivre / 1 dl. d'huile / Le jus de 2 citrons / 1 œuf battu / 30 g. de chapelure / 80 g. de beurre / 1 kg. de pommes.

Faire cuire les tripes 5 heures avec les oignons, les clous de girofle, les carottes, les poireaux, le persil, le laurier, le thym, le calvados, du sel et du poivre. Egoutter. Battre l'huile et le jus d'1 citron. Tremper les tripes dans cette préparation. Les passer dans l'œuf et la chapelure et les faire dorer au beurre. Garder au chaud.

Peler les pommes. Les épépiner. Les couper en quartiers. Les mettre dans une casserole avec le jus de l'autre citron et 3 cuillerées à soupe d'eau. Couvrir. Laisser mijoter 15 minutes. Servir dans des assiettes chaudes, parsemé de persil haché.

Filet mignon de veau aux pommes ✕✕✕ ◯◯◯

Prép. : 25 mn. Cuiss. : 45 mn.

4 pers.

1 filet mignon de veau / 120 g. de chair de veau prélevée sur le filet / 5 cl. de vin blanc / 1 poivron rouge / 1 poivron vert / 1 truffe / Huile / Beurre / Sel, poivre / 5 cl. de crème + 1 dl. pour la sauce / 1 blanc d'œuf / 2 pommes.

Parer le filet, prélever 120 g. de chair. La hacher au mixer, ajouter le blanc d'œuf, l'assaisonnement puis la crème. Passer au tamis puis ajouter une brunoise de poivron rouge et de truffe (compter 1 cuillerée à soupe bombée de brunoise).

Ouvrir le filet dans la longueur, l'aplatir, l'assaisonner, le chemiser de farce, le fermer, le ficeler, le mettre à rôtir doucement au four 30 minutes, th. 7. L'arroser souvent.

En fin de cuisson, dégraisser la plaque de cuisson, ajouter le vin, réduire de moitié puis ajouter la crème. Réduire à la bonne consistance. La sauce doit napper. Vérifier l'assaisonnement. Passer au chinois.

Eplucher les pommes, les tailler en tranches. Découper un rond, à l'aide d'un emporte-pièce, de la grandeur du filet mignon. Poêler les tranches de pommes au beurre.

Dresser les tranches de pommes sur assiette, poser les tranches de filet mignon dans le milieu, saucer autour.

Accompagner de légumes frais de saison.
On pourra éventuellement barder le filet.

Côtes de veau à la sauce aux pommes

✕ ∞

Prép. : 30 mn. Cuiss. : 30 mn.

4 pers.

4 côtes de veau / 3 cuil. à soupe d'huile / Sel, poivre / 15 cl. de cidre brut / 5 pommes reinettes / 100 g. de crème fraîche / 2 jaunes d'œufs.

Faire dorer les côtes de veau dans l'huile. Saler, poivrer. Mouiller d'1 dl. de cidre. Cuire doucement 10 minutes.

Couper les pommes en deux. Les épépiner. Les disposer dans une casserole à fond épais. Arroser du reste de cidre. Couvrir, cuire très doucement 15 minutes. Retirer deux moitiés dc pommes. Les écraser. Disposer les fruits restant et la viande dans un plat. Garder au chaud.

Réduire le liquide de cuisson des pommes. Ajouter la pomme écrasée, la crème fraîche, les jaunes d'œufs. Saler, poivrer. Chauffer doucement.

Napper les côtes de sauce aux pommes. Servir aussitôt.

Côtes de porc aux reinettes

✗✗ ◯

Prép. : 1 h. Cuiss. : 1 h. 45 mn.

4 pers.

4 pommes reinettes / 150 g. de lard coupé en dés / 1 oignon haché / 4 cuil. de sauge hachée / 3 cuil. à soupe d'huile / 4 côtes de porc / 2 pommes de terre coupées en tranches / Sel, poivre / 1,5 dl. de bouillon / 1,5 dl. de jus de pomme / Persil haché.

Eplucher les pommes. Les couper en lamelles.

Dans une cocotte allant au four, faire dorer le lard dans l'huile, puis l'oignon. Mélanger à la sauge. Réserver.

A la suite, faire dorer les côtes. Poser au-dessus, par couches successives, la moitié des reinettes, les pommes de terre et le reste de fruits. Saler, poivrer. Arroser du bouillon et du jus de pommes. Répandre la préparation à la sauge. Couvrir. Cuire au four chaud, th. 6, 1 heure 30 minutes. Découvrir la cocotte et laisser dorer 10 minutes.

Servir chaud parsemé de persil.

Epaule de porc aux pommes

✗ ◯

Prép. : 40 mn. Cuiss. : 1 h. 30 mn.

4 pers.

1 kg. de rôti de porc dans l'épaule / Moutarde forte / 2 clous de girofle / 500 g. d'oignons émincés / 3 cuil. à soupe d'huile / Sel, poivre / 75 cl. de lait / 4 feuilles de sauge fraîche hachées / 1 kg. de pommes reinettes / 80 g. de beurre.

Tartiner le rôti de la moutarde. Le piquer des clous de girofle.

Faire fondre les oignons dans l'huile. Réserver. A la suite, faire dorer la viande. Ajouter le lait, les oignons, la sauge. Saler, poivrer, couvrir. Cuire au four, th. 6, 1 heure 15 minutes.

Peler les pommes. Enlever les pépins. Les couper en lamelles. Les faire sauter au beurre 15 minutes en remuant. Eliminer les clous de girofle.

Servir le rôti nappé de sauce et accompagné des pommes dorées et fondantes.

Filet de porc aux pommes

✗○

Prép. : 50 mn. Cuiss. : 30 mn.

4 pers.

500 g. de filet de porc | 1 kg. de pommes | 20 g. de beurre | Sel, poivre | Cannelle.

Eplucher les pommes. Les couper en rondelles épaisses. Enlever le centre.

Couper le filet de porc en autant de tranches que les pommes. Dans un plat beurré allant au four, placer par couches successives les tranches de pommes et la viande. Saupoudrer de sel, de poivre et de cannelle.

Cuire au four, th. 6, 30 minutes.

Servir chaud.

Longe de porc aux pommes

✕○

Prép. : 30 mn. Cuiss. : 1 h. 30 mn.

4 pers.

1,5 kg. de pommes / 1 verre d'eau / 30 g. de beurre / Sel, poivre / Feuilles de sauge fraîche / 800 g. de longe de porc.

Cuire les pommes 15 minutes et les passer au tamis. Garder au chaud.

Assaisonner la viande placée dans un plat. L'arroser d'un verre d'eau. Cuire au four, th. 5, 1 heure 15 minutes en arrosant souvent. Retourner le rôti en cours de cuisson. Déglacer avec un peu d'eau. Présenter la sauce en saucière. Servir chaud avec la purée.

Porc à la sauge et aux pommes

XX O

Prép. : 45 mn. Cuiss. : 15 mn.

4 pers.

4 tranches de filet de porc / 3 pommes Golden / 50 g. de beurre / Sel, poivre / 20 g. de farine / 1 dl. de vin blanc sec / Feuilles de sauge fraîche.

Sans les peler, couper les pommes en rondelles. Enlever le cœur. Délicatement, les faire étuver au beurre 5 minutes. Garder au chaud.

Saupoudrer de sel, de poivre et de sauge les tranches de viande. Les fariner. Les faire dorer rapidement à la poêle. Les disposer dans un plat à gratin.

Poser au-dessus, en les faisant se chevaucher, les tranches de pommes. Arroser du vin.

Cuire au four, th. 6, 10 minutes.

Servir chaud parsemé de feuilles de sauge hachées.

Porc aux granny smith

XX O

Prép. : 40 mn. Cuiss. : 1 h. 50 mn.

4 pers.

200 g. de champignons de Paris émincés / 3 cuil. à soupe d'huile / 750 g. de travers de porc coupé en morceaux / 50 g. de farine / 3 dl. de bouillon / 1 oignon haché / Sel, poivre / 4 pommes granny smith / 125 g. de crème aigre / Persil haché.

Dans une cocotte allant au four, faire cuire les champignons à feu doux. Réserver. A la suite, faire dorer la viande. Saupoudrer de farine. Bien mélanger. Ajouter les champignons, le bouillon et l'oignon. Saler, poivrer. Porter à ébullition. Cuire au four à couvert, th. 5, 1 heure 30 minutes.

Eplucher les pommes. Enlever le cœur. Les couper en rondelles. Les ajouter à la viande avec la crème. Couvrir. Continuer la cuisson 15 minutes.

Servir chaud parsemé de persil.

Cocotte de porc
aux pommes

XX O

Prép. . 50 mn. Cuiss. : 2 h.

4 pers.

500 g. de pommes de terre / 100 g. de beurre / 1 dl. de lait / Sel, poivre / 800 g. d'épaule de porc coupée en dés / 2 oignons hachés / 1 cuil. à soupe de feuilles de sauge hachées / 600 g. de pommes reinettes.

Eplucher les pommes de terre. Les couper en quartiers. Les cuire à l'eau bouillante salée 20 minutes. Les réduire en purée. Incorporer 50 g. de beurre et le lait. Saler, poivrer. Garder au chaud.

Eplucher les pommes. Les couper en tranches épaisses. Beurrer une cocotte allant au four. Déposer par couches successives le porc, les oignons, la sauge, les pommes. Terminer par le porc. Arroser d'1 verre d'eau. Porter à ébullition. Couvrir. Cuire au four, th. 5, 1 heure 30 minutes.

Ouvrir la cocotte. Etaler la purée. Arroser du beurre restant fondu. Faire dorer 10 minutes au four.

Servir chaud.

Dippelapes lorrain ✗○

Prép. : 1 h. Cuiss. : 45 mn.

4 pers.

2 kg. de pommes / 130 g. de sucre / 1 verre d'eau / 1 kg. de pommes de terre / 1 bouquet de persil / 3 œufs entiers / 50 g. de farine / Sel / 100 g. de beurre.

Peler les pommes. Enlever les cœurs. Les couper en lamelles. Les mettre dans une casserole. Ajouter le sucre, l'eau. Cuire à feu moyen 15 minutes. Garder au chaud.

Dans une terrine mélanger les œufs, le persil haché, la farine. Râper les pommes de terre épluchées. Les presser dans un torchon pour en extraire le maximum de liquide. Les verser dans la terrine. Saler.

Dans une poêle, avec le beurre, confectionner des crêpes de 1/2 cm d'épaisseur environ en versant 6 cuillerées à soupe de pâte de pommes de terre. Lisser la surface à l'aide d'une spatule. Cuire à feu moyen 3 minutes de chaque côté. Garder au chaud.

Servir les Dippelapes accompagnés de la compote de pommes.

Pommes de terre ✗○
aux pommes

Prép. : 45 mn. Cuiss. : 20 mn.

4 pers.

1/2 l. d'eau / 20 g. de sucre / 1 1/2 cuil. à café de sel / 500 g. de pommes / 600 g. de pommes de terre / 150 g. de lard maigre coupé en dés / 2 oignons coupés en rondelles / 1 cuil. à café de vinaigre de cidre.

Eplucher les pommes et les pommes de terre. Les couper en quartiers.

Dans une cocotte, verser l'eau, le sucre, 1/2 cuillerée à café de sel, les pommes et les pommes de terre. Porter à ébullition. Couvrir. Laisser mijoter à feu doux 10 minutes.

Faire dorer le lard et l'égoutter.

A la suite, faire fondre les oignons 10 minutes.

Avant de servir, incorporer 1 cuillerée à café de sel et le vinaigre.

Disposer dans un plat creux chauffé. Décorer du lard et des oignons.

Pommes au gratin

Prép. : 45 mn. Cuiss. : 1 h. 10 mn.

4 pers.

100 g. de lard maigre / 3 cuil. à soupe d'huile / 1 oignon émincé / 200 g. de viande de bœuf hachée / Sel, poivre / Fines herbes / 1 œuf / 8 pommes acides / 4 cuil. à soupe de chapelure / 30 g. de beurre.

Faire fondre le lard dans l'huile. Ajouter l'oignon, la viande hachée, du sel et du poivre. Cuire doucement 20 minutes. Hors du feu, mettre les fines herbes et l'œuf battu.

Evider les pommes non pelées. Les inciser tout autour. Les farcir de la préparation. Les disposer dans un plat à gratin beurré. Les saupoudrer de chapelure. Les coiffer d'une noix de beurre. Cuire au four, th. 4, 50 minutes.

Céréales aux pommes ✕○

Prép. : 25 mn. Cuiss. : 30 mn.

4 pers.

50 g. de raisins de Corinthe / 1/2 verre à liqueur de rhum / 500 g. de pommes / 60 g. de sucre / 1 zeste de citron / 3 cuil. à soupe d'eau / Cannelle / 100 g. de muesli / 25 g. de flocons d'avoine rapides / 25 g. de corn-flakes écrasés / 30 g. de beurre.

Faire gonfler les raisins dans le rhum.

Peler les pommes. Les couper en rondelles. Les mettre dans une casserole avec le sucre, le zeste de citron, l'eau, la cannelle. Cuire doucement à couvert 15 minutes.

Mélanger les céréales et les raisins. Dans un moule beurré, verser la compote de pommes. Couvrir du mélange aux céréales. Parsemer de noisettes de beurre.

Cuire au four, th. 6, 15 minutes.

Servir chaud.

Muesli au yaourt et aux pommes ✕○

Prép. : 25 mn.

4 pers.

50 g. de raisins de Corinthe / 4 pommes / Le jus et le zeste d'un citron / 3 yaourts nature / 80 g. de sucre / 8 cuil. à soupe de flocons d'avoine rapides / 50 g. de noisettes concassées.

Faire gonfler les raisins dans de l'eau tiède.

Peler les pommes. Les couper en petits dés. Les citronner.

Dans un saladier, mélanger les yaourts, le sucre, le zeste de citron, les pommes, les flocons d'avoine, les raisins égouttés et les noisettes.

Servir aussitôt.

Muesli aux pommes ✂ ◯

Prép. : 20 mn. Trempage : 2 h.

4 pers.

*8 cuil. à soupe de flocons d'avoine rapides / 1 dl. d'eau /
50 g. de raisins de Corinthe / 4 pommes / Le zeste et le jus
d'un citron / 1 orange et le zeste / 1 banane coupée en
tranches / 4 cuil. à soupe de lait concentré sucré.*

Faire tremper 2 heures les flocons d'avoine dans de
l'eau. Faire gonfler les raisins dans de l'eau tiède.

Peler les pommes. Les râper et les citronner.

Mélanger les flocons d'avoine, l'orange, la banane, les
zestes de citron et d'orange, le lait concentré, les
pommes et les raisins égouttés.

Servir aussitôt.

Pommes à la braise   ✗ ○

Prép. : 25 mn. Cuiss. : 45 mn.

4 pers.

4 pommes / 50 g. de noix hachées / 30 g. de sucre.

Evider les pommes. Les inciser horizontalement. Les disposer sur un carré de papier d'aluminium. Remplir l'intérieur de noix hachées. Saupoudrer de sucre. Faire des papillotes. Les placer sous les braises. Laisser cuire 45 minutes. Vérifier la cuisson.
Servir chaud.

Pommes au caramel   ✗✗ ○

Prép. : 15 mn. Cuiss. : 20 mn.

4 pers.

4 pommes / 50 g. de beurre / 60 g. de sucre.

Eplucher les pommes. Les couper en fins quartiers. Les faire sauter à la poêle dans le beurre pendant 5 minutes. Saupoudrer de sucre. A feu très doux, faire lentement caraméliser et prendre une couleur brune.
Servir aussitôt.

Pommes à la crème de marron   ✗ ⊙⊙

Prép. : 10 mn. Cuiss. : 30 mn.

4 pers.

4 grosses pommes Golden / 1 dl. de jus de pomme / 2 sachets de sucre vanillé / 1/2 boîte de crème de marron vanillée / 50 g. de sucre en poudre.

Laver et évider les pommes entières. Les disposer dans une casserole à fond épais. Verser le jus de pomme. Saupoudrer de sucre vanillé. Couvrir. Cuire à feu très doux 30 minutes.
Disposer les pommes encore tièdes dans un plat de service. Remplir le centre de crème de marron. Avec le sucre, faire un caramel blond. Napper les pommes.
Servir frais.

Pommes à l'armagnac ✗ ∞

Prép. : 30 mn. Cuiss. : 30 mn.

4 pers.

200 g. de pruneaux / 800 g. de pommes / 80 g. de beurre / 100 g. de sucre / 1 cuil. à café de cannelle en poudre / 1 verre à liqueur d'armagnac.

Faire gonfler les pruneaux dans de l'eau tiède. Les dénoyauter. Les couper en deux. Eplucher les pommes. Enlever les pépins. Les couper en fines lamelles.

Parsemer le fond d'un plat à gratin de noisettes de beurre. Etendre les pommes et les pruneaux au-dessus. Saupoudrer de sucre et de cannelle. Cuire au four, th. 4, 30 minutes.

Au sortir du four, chauffer l'armagnac. Flamber.

Servir aussitôt.

Pommes au calvados ✗ ◯◯◯

Prép. : 40 mn. Macération : 4 h.

Cuiss. : 20 mn. - 4 pers.

4 pommes à chair ferme / 1 verre à liqueur de calvados /
1 dl. d'eau / 100 g. de sucre / 1 citron / 4 blancs d'œufs en
neige / 2 cuil. à soupe d'amandes effilées.

Couper les pommes en deux. Les faire macérer 4
heures en les retournant dans l'eau mélangée au calvados et au sucre. Egoutter. Les évider au maximum sans
trouer la peau.

A feu vif, réduire de moitié le liquide de macération
et la pulpe des fruits. Mixer. Ajouter le jus de citron.
Laisser refroidir.

Incorporer délicatement les blancs d'œufs en neige.
Remplir les pommes de la préparation. Les disposer
dans un plat à gratin beurré. Parsemer d'amandes.

Faire dorer sous le gril 10 minutes.

Servir très chaud.

Pommes au cassis

Prép. : 40 mn. Cuiss. : 50 mn.

4 pers.

4 pommes | 80 g. de sucre | 2 jaunes d'œufs | 20 g. de farine | 1/4 l. de lait | 2 cuil. à soupe de coco râpé | 200 g. de cassis passé au tamis.

Evider les pommes sans les peler. Les inciser tout autour. Les disposer dans un plat à gratin beurré. Mettre une cuillerée à café de sucre à l'intérieur. Cuire au four, th. 4, 40 minutes.

Mélanger dans une terrine les jaunes d'œufs, la farine, 60 g. de sucre et le lait froid. Passer au tamis dans une casserole. Cuire 10 minutes à feu moyen. Hors du feu, ajouter le coco râpé.

Sucrer la purée de cassis. Remplir les pommes de la crème au coco.

Servir nappé de coulis de cassis.

Pommes à la fine champagne

Prép. : 45 mn. Cuiss. : 25 mn.

4 pers.

4 grosses pommes | 80 g. de sucre semoule | 6 cuil. à soupe de fine champagne | 3 blancs d'œufs | 30 g. de sucre glace | 4 cuil. à soupe de gelée de framboise | 10 g. de beurre.

Couper les pommes en deux sans les peler. Les épépiner. Evider la moitié de la chair de l'intérieur.

Dans une casserole, mélanger la chair des pommes, 1 cuillerée à soupe d'eau, le sucre en poudre. Cuire doucement 10 minutes en remuant. Arroser de la moitié du champagne. Réduire un peu. Battre les blancs en neige très ferme. Les mélanger à la compote.

Disposer les demi-pommes dans un plat à gratin beurré. Verser le reste du champagne à l'intérieur. Remplir de la préparation. Saupoudrer de sucre glace. Cuire au four, th. 6, 15 minutes.

Au sortir du four, coiffer les pommes de gelée de framboise. Servir aussitôt.

Pommes au fromage ✗ ○

Prép. : 20 mn.

4 pers.

4 pommes / 1 orange / 1 petit ananas / Le jus de 2 citrons / 200 g. de fromage blanc / 80 g. de sucre / Feuilles de menthe fraîche.

Eplucher les fruits. Râper les pommes. Les citronner. Couper l'ananas en petits dés.

Battre le fromage blanc. Le mélanger aux fruits. Ajouter le sucre et quelques feuilles de menthe hachées. Disposer dans des coupes individuelles.

Servir frais, parsemé de feuilles de menthe.

Pommes au rhum ✗ ⚭

Prép. : 40 mn. Cuiss. : 20 mn.

4 pers.

30 g. de raisins de Corinthe / 2 cuil. à soupe de rhum / 6 pommes / 100 g. de sucre / 50 g. de crème fraîche / 2 œufs / 1 cuil. à soupe de cannelle.

La veille, faire tremper les raisins de Corinthe dans le rhum.

Peler deux pommes. Enlever les pépins. Les couper en quartiers.

Verser dans une casserole le sucre, les pommes et 2 cuillerées à soupe d'eau. Cuire 10 minutes en remuant. Hors du feu, ajouter la crème fraîche, les jaunes d'œufs, la cannelle, les raisins, le rhum et les blancs battus en neige très ferme.

Evider et creuser les pommes restantes. Les disposer dans un plat à gratin beurré. Les remplir de la préparation. Cuire au four, th. 6, 10 minutes.

Servir chaud.

Pommes aux agrumes ✗○

Prép. : 40 mn. Cuiss. : 30 mn.

4 pers.

1 kg. de pommes / 2 oranges / 1 citron / 180 g. de sucre / 1 verre à liqueur de rhum / 4 blancs d'œufs / Cannelle.

Peler les pommes. Enlever les cœurs. Les couper en tranches fines. Les mélanger à une orange épluchée et coupée en morceaux. Disposer dans un plat beurré allant au four. Couvrir de 100 g. de sucre et d'un peu de cannelle. Arroser du jus du citron, de l'orange restante et d'1 cuillerée à soupe de rhum.

Cuire au four, th. 5, 30 minutes, en remuant de temps en temps.

Battre en neige ferme les blancs d'œufs. Ajouter le sucre restant. Etaler au-dessus des fruits. Continuer la cuisson 3 minutes.

Chauffer le rhum restant dans une petite casserole. Le verser sur le plat. Enflammer. Servir aussitôt.

Pommes aux amandes ✕✕ ◯◯

Prép. : 40 mn. Cuiss. : 30 mn.

4 pers.

1/2 l. d'eau froide / 1 citron non traité / 4 grosses pommes / 200 g. de sucre / 125 g. de beurre / 3 œufs / 100 g. d'amandes effilées / 1 pincée de sel.

Couper les pommes en deux. Les peler et les évider. Les mettre dans une casserole avec l'eau, le jus et le zeste du citron, 100 g. de sucre. Porter à ébullition. Cuire à découvert 8 minutes.

Egoutter les pommes. Les disposer à plat sur la tranche dans un plat à gratin beurré.

Battre le beurre en crème. Ajouter peu à peu le reste du sucre, les jaunes d'œufs et les amandes. Lorsque la pâte est homogène, incorporer les blancs montés en neige. Etaler sur les pommes. Faire dorer à four chaud, th. 6, 20 minutes.

Servir tiède.

Pommes aux noix et aux raisins

✗ ⚭

Prép. : 45 mn. Cuiss. : 50 mn.

4 pers.

4 pommes | 1/2 l. d'eau | 200 g. de sucre | 1 morceau de cannelle | 50 g. de raisins de Corinthe | 1 verre à liqueur de rhum | 100 g. de cerneaux de noix hachés.

Faire tremper les raisins dans le rhum.

Evider les pommes sans les peler. Les inciser tout autour. Les disposer dans un plat à gratin beurré.

Dans une casserole mettre l'eau, le sucre et la cannelle. Faire bouillir 10 minutes. Retirer la cannelle du sirop.

Remplir les pommes des noix et des raisins. Arroser d'un peu du sirop. Cuire au four, th. 4, 40 minutes.

Disposer les pommes dans des coupes individuelles.

Servir nappé du sirop restant.

Pommes en chemises

Prép. : 55 mn. Cuiss. : 30 mn.

Repos : 2 h. - 4 pers.

180 g. de farine / 100 g. de beurre / 80 g. de sucre / 2 œufs / 4 cuil. à soupe de kirsch / Sel / 4 pommes / 2 cuil. à café de cannelle / 4 cuil. à soupe de gelée de framboise.

Malaxer rapidement la farine, le beurre, 1 cuillerée à soupe de sucre, l'œuf, le kirsch, 1 pincée de sel. Laisser reposer 2 heures. Abaisser la pâte. Découper des carrés de 12 cm de côté.

Peler les pommes. Les évider. Les rouler dans le sucre restant mélangé à la cannelle. Remplir le centre de gelée de framboise. Poser chaque pomme sur un carré de pâte. Fermer en papillotes en soudant les bords avec un peu d'eau. Disposer sur une tôle beurrée. Dorer au jaune d'œuf.

Cuire au four, th. 6, 30 minutes.

Servir chaud.

Pommes en pâte

Prép. : 50 mn. Cuiss. : 40 mn.

4 pers.

50 g. de raisins de Corinthe / 1/2 verre à liqueur de rhum / 80 g. de beurre / 80 g. de sucre / 1 citron non traité / 1/4 de cuillerée à café de cannelle / 4 grosses pommes / 250 g. de pâte feuilletée / 30 g. de sucre glace.

Faire gonfler les raisins dans le rhum.

Dans une terrine, battre en crème le beurre, le sucre. Ajouter le zeste du citron, le jus, les raisins et la cannelle.

Peler et évider les pommes. Les remplir de la préparation.

Etendre la pâte sur 1/2 cm d'épaisseur. La découper en lanières. Y enrouler les pommes. Souder les bords au sommet. Disposer les pommes sur une plaque beurrée. Cuire au four, th. 6, 30 minutes. Sortir les pommes. Les vaporiser d'un peu d'eau. Saupoudrer de sucre glace. Faire dorer au four 10 minutes.

Servir chaud.

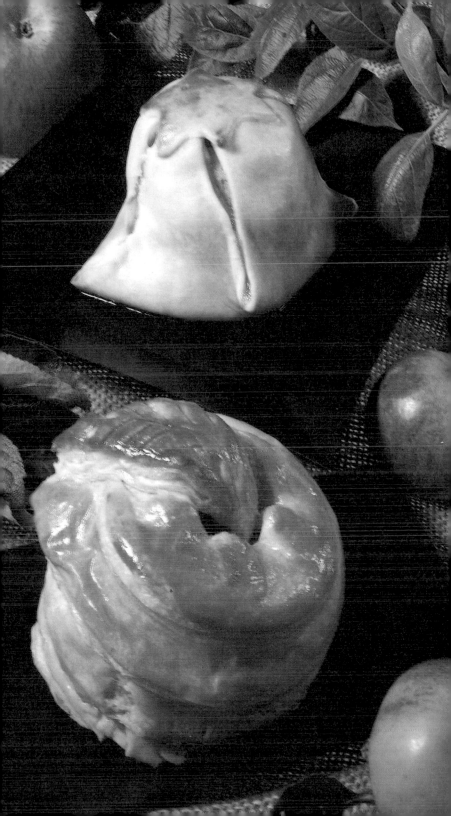

Couronne de pommes aux fruits

XX ∞

Prép. : 30 mn. Cuiss. : 25 mn.

4 pers.

1,5 kg. de pommes / 1 dl. d'eau / 60 g. de sucre en poudre / 1 morceau de cannelle / 80 g. de beurre / 1 dl. de vin blanc sec / Abricots, cerises et ananas au sirop (1 petite boîte de chaque) / 1 meringue / 10 amandes pelées.

Peler les pommes. Enlever les cœurs. Les couper en quartiers. Mettre dans une sauteuse l'eau, le sucre, la cannelle, le beurre, le vin blanc et les pommes. Cuire doucement à découvert 25 minutes.

Enlever la cannelle. Laisser tiédir. Dresser en monticule dans un compotier.

Garnir de couronnes successives d'abricots, d'ananas et de cerises. Piquer les amandes dans la meringue. La poser au-dessus.

Servir froid.

Pommes meringuées ✗ ○

Prép. : 40 mn. Cuiss. : 35 mn.

4 pers.

2 kg. de pommes | 1 dl. d'eau | 180 g. de sucre | 1 cuil. à café de vanille liquide | 1 dl. de vin blanc | 2 blancs d'œufs.

Peler les pommes. Enlever les cœurs. Les couper en fines tranches. Les mettre dans une sauteuse avec l'eau, 80 g. de sucre, la vanille et le vin. Cuire à découvert doucement 25 minutes.

Etaler la compote dans un plat allant au four. Monter les blancs d'œufs en neige ferme et ajouter le sucre restant. Répandre uniformément sur les pommes. Faire dorer à four doux.

Servir chaud.

Compote de pommes au miel

✗ ∞

Prép. : 35 mn. Cuiss. : 20 mn.

4 pers.

75 g. de raisins de Corinthe / 1 verre à liqueur de rhum / 600 g. de pommes / 2 dl. d'eau / 1 gousse de vanille / 1 bâton de cannelle / 5 cl. de lait / 2 cuil. à soupe de miel.

Faire gonfler les raisins dans le rhum. Eplucher les pommes. Les épépiner.

Les couper en morceaux. Les mettre dans une casserole avec l'eau, la gousse de vanille fendue en deux et la cannelle. Couvrir. Cuire doucement 20 minutes.

Enlever les épices. Passer au tamis. Ajouter les raisins et le rhum. Remettre sur le feu et sécher la compote.

Hors du feu, ajouter le lait bouillant et le miel. Disposer dans des coupes individuelles.

Servir glacé.

Gâteau de pommes au kirsch

✕ ○

Prép. : 55 mn. Cuiss. : 50 mn.

4 pers.

500 g. de pommes / 400 g. d'ananas frais / 100 g. de sucre / 1 verre d'eau / 30 g. de farine / 5 œufs / 12 cerises dénoyautées en conserve / 1/2 verre à liqueur de kirsch.

Eplucher les fruits frais. Les couper en morceaux. Les mettre dans une casserole avec le sucre et l'eau. Cuire à feu moyen 10 minutes en remuant.

Délayer la farine dans un peu d'eau. Ajouter la compote de fruits, les cerises, le kirsch et les œufs battus. Mélanger, verser dans un moule beurré. Cuire au four th. 6, 40 minutes.

Servir tiède.

Mousse de pomme ✗✗ ○

Prép. : 45 mn. Cuiss. : 15 mn.

4 pers.

1,5 kg. de pommes / 200 g. de sucre / 1 verre d'eau / 4 blancs d'œufs / Cannelle en poudre / 1 citron.

Peler les pommes. Enlever les cœurs. Les couper en lamelles. Les mettre dans une casserole. Ajouter le sucre, l'eau. Cuire à feu moyen 15 minutes. Passer au tamis. Ajouter le jus de citron. Laisser refroidir.

Battre les blancs d'œufs en neige ferme avec le reste du sucre. Les incorporer délicatement à la compote.

Disposer la mousse dans des ramequins individuels. Saupoudrer de cannelle. Servir aussitôt.

Mousse de cassis aux pommes ✗ ○

Prép. : 55 mn. Cuiss. : 20 mn.

4 pers.

250 g. de pommes / 250 g. de cassis / 60 g. de sucre / 1 sachet de gélatine en poudre (9 g.) / 1 jus de citron / 2 blancs d'œufs / 100 g. de crème fraîche fouettée.

Peler les pommes. Les couper en quartiers. Laver les cassis. Les mettre dans une casserole avec les pommes, le sucre et 3 cuillerées à soupe d'eau.

Cuire à couvert 15 minutes à feu doux. Passer au tamis. Laisser refroidir.

Au bain-marie, dissoudre la gélatine dans 4 cuillerées à soupe d'eau. Verser le jus de citron. Laisser tiédir. Mélanger les deux préparations et ajouter les blancs d'œufs montés en neige. Répartir dans des ramequins individuels.

Servir frais accompagné de crème fouettée.

Beignets aux pommes   ✕✕ ◯

Prép. : 1 h. Cuiss. : 45 mn.

Macération : 1 h. Repos : 1 h. - 4 pers.

250 g. de farine / 4 œufs / 1 pincée de sel / 150 g. de sucre / 1,5 dl. de bière / 1 cuil. à soupe d'huile / 50 g. de beurre / 700 g. de pommes / Cannelle / 1 dl. de vin blanc sec / Sucre glace.

Mélanger à la farine les jaunes d'œufs, le sel, 50 g. de sucre, la bière, l'huile et le beurre fondu. Travailler jusqu'à ce que la pâte soit homogène. Laisser reposer 1 heure.

Eplucher les pommes. Les couper en tranches épaisses. Enlever le cœur. Les saupoudrer de 100 g. de sucre et de cannelle. Arroser de vin blanc. Laisser macérer 1 heure.

Introduire les blancs d'œufs battus en neige à la pâte. Plonger les tranches de pommes égouttées dans la pâte puis dans la friture bouillante. Egoutter les beignets dorés. Les sécher sur du papier absorbant.

Servir chaud saupoudré de sucre glace.

Clafoutis aux pommes   ✕ ◯◯

Prép. : 50 mn. Cuiss. : 40 mn.

4 pers.

700 g. de pommes / 250 g. de farine / 3 œufs / 1/2 l. de lait / 1 pincée de sel / 1 verre à liqueur de calvados / 60 g. de sucre en poudre / 50 g. de beurre.

Dans une terrine mettre la farine en puits. Verser les jaunes d'œufs, le sel. Délayer peu à peu avec le lait. Lorsque la pâte est homogène, ajouter le calvados et les pommes pelées et coupées en lamelles.

Monter les blancs en neige ferme avec le sucre. Mélanger les deux préparations.

Verser le mélange dans un plat en terre beurré. Parsemer de noisettes de beurre. Cuire à four doux, th. 5, 40 minutes.

Servir tiède ou froid.

Charlotte aux pommes ✖✖ ◯

Prép. : 1 h. 05 mn. Cuiss. : 1 h.

4 pers.

80 g. de sucre / 200 g. de pain au lait / 125 g. de beurre / 1 cuil. à café de cannelle / 1 kg. de pommes.

Beurrer un moule à charlotte. Le saupoudrer de 40 g. de sucre. Râper la croûte des pains. Les couper en tranches d'1/2 cm d'épaisseur. Les tremper d'un côté dans 80 g. de beurre fondu. En garnir le fond et les bords du moule.

Peler les pommes. Les couper en tranches fines. Les faire étuver 15 minutes dans le beurre et le sucre restant. Saupoudrer de cannelle. Verser dans le moule.

Couvrir du pain râpé. Cuire au four, th. 6, 45 minutes.

Servir chaud, renversé sur un plat.

Crêpes aux pommes   ✕ ○

Prép. : 1 h.   Cuiss. : 45 mn.

4 pers.

500 g. de pommes / 125 g. de beurre / 1/4 l. de lait / 250 g. de farine / 4 œufs / 100 g. de sucre / 1 cuil. à café d'eau de fleur d'oranger / 1 pincée de sel / 1 verre à liqueur de rhum / Sucre glace.

Couper les pommes pelées en fines lamelles. Les faire revenir 10 minutes dans la moitié du beurre. Garder au chaud.

Chauffer le lait, y faire fondre le reste du beurre. Dans un saladier, mélanger la farine, les œufs, le sucre. Verser le lait encore chaud.

Travailler la pâte au fouet pour la rendre homogène. Verser l'eau de fleur d'oranger, le sel et le rhum.

Confectionner les crêpes en mélangeant à chaque fois quelques lamelles de pommes à la pâte.

Servir très chaud saupoudré de sucre glace.

Crêpes aux pommes et aux noix   ✕ ○

Prép. : 1 h.   Repos : 2 h.

Cuiss. : 45 mn. - 4 pers.

250 g. de raisins de Corinthe / 1 dl. de vieux rhum / 250 g. de farine / 4 œufs / 1 pincée de sel / 50 g. de sucre / 2,5 dl. de bière / 1 cuil. à soupe d'huile / 50 g. de beurre / 1 zeste de citron / 500 g. de pommes / 150 g. de cerneaux de noix hachés / Sucre glace.

Faire gonfler les raisins dans le rhum.

Mélanger la farine, les œufs, le sel, le sucre, la bière, l'huile, le beurre, la moitié du zeste de citron. Lorsque la pâte est homogène, laisser reposer 2 heures.

Éplucher les pommes. Les couper en fines lamelles. Les mettre dans une casserole avec les raisins égouttés, les noix, le reste du zeste de citron et l'eau. Cuire à feu doux 5 minutes.

Confectionner les crêpes. Fourrer chacune d'un peu de la préparation aux pommes. Rouler. Disposer sur un plat de service chaud. Chauffer doucement le rhum dans une petite casserole. Verser sur les crêpes.

Servir en flammes accompagné de sucre glace.

Crêpes normandes ✗✗ ∞

Prép. : 1 h. 15 mn. Cuiss. : 30 mn.

Repos : 1 h. - 4 pers.

250 g. de farine / 4 œufs / 1 pincée de sel /80 g. de sucre semoule / 1/4 l. de lait / 100 g. de beurre / 700 g. de pommes reinettes / 1/2 verre à liqueur de calvados / Sucre glace.

Casser les œufs entiers au centre de la farine creusée en fontaine. Mélanger doucement. Ajouter le sel, 50 g. de sucre, le lait et la moitié du beurre fondu. Laisser reposer 1 heure.

Peler les pommes. Les couper en petits dés. Dans une casserole avec le beurre et le sucre restant, les faire revenir 5 minutes en remuant. Verser le calvados. Poursuivre la cuisson 2 minutes.

Confectionner les crêpes. Etaler la préparation aux pommes dessus. Les rouler et les disposer sur un plat de service. Saupoudrer de sucre glace. Servir très chaud.

Pannequets à la gelée de pomme

✗ ○

Prép. : 30 mn. Cuiss. : 15 mn.

4 pers.

125 g. de farine / 1 sachet de sucre vanillé / 2 œufs / 1 pincée de sel / 1/4 l. de lait / 1/4 l. d'eau / 3 cuil. à soupe de calvados / 4 pommes / 50 g. de beurre / 50 g. de sucre semoule / Sucre glace.

Mélanger la farine, le sucre, les œufs battus et le sel. Ajouter le lait, l'eau et 1 cuillère à soupe de calvados.

Confectionner 8 crêpes.

Eplucher et émincer les pommes. Les faire sauter au beurre. Sucrer, flamber au calvados.

Garnir chaque crêpe d'un peu de pomme. La replier. Réserver au chaud.

Saupoudrer de sucre glace au moment de servir.

Omelette aux pommes   ✗○

Prép. : 30 mn. Cuiss. : 15 mn.

4 pers.

4 pommes / 80 g. de beurre / 80 g. de sucre / 1 cuil. à café de cannelle en poudre / 1 zeste de citron / Poivre / 8 œufs.

Peler les pommes. Les épépiner. Les couper en lamelles. Les faire sauter 10 minutes dans 30 g. de beurre en remuant. Ajouter 4 cuillerées à soupe de sucre, la cannelle, le zeste de citron et un peu de poivre.

Battre les œufs avec une cuillerée de sucre seulement. Verser dans la poêle avec le reste du beurre fondu. A feu doux, laisser prendre la masse.

Etaler la préparation aux pommes. Plier, saupoudrer de sucre.

Servir aussitôt.

Omelette en flammes   ✗ ◯◯

Prép. : 20 mn. Cuiss. : 10 mn.

Macération : 2 h. - 4 pers.

2 grosses pommes / 100 g. de sucre / 8 œufs / 50 g. de crème fraîche / 1 cuil. à café de cannelle / 30 g. de beurre / 1 verre à liqueur de rhum.

Peler les pommes. Les couper en tranches minces. Les saupoudrer de 80 g. de sucre. Laisser macérer 2 heures.

Battre les œufs. Ajouter le sucre restant, la crème fraîche, la cannelle.

Confectionner une omelette dans la poêle avec le beurre. Etendre les pommes. Cuire 2 minutes. Plier, arroser de rhum tiédi.

Servir en flammes.

Pudding aux pommes ✕ ○

Prép. : 55 mn. Cuiss. : 1 h. 10 mn.

4 pers.

50 g. de raisins de Corinthe / 400 g. de pommes / 60 g. de beurre / 160 g. de sucre / 3/4 l. de lait / 60 g. de maïzena / 4 œufs.

Faire gonfler les raisins dans de l'eau tiède. Les égoutter. Les disperser dans un moule beurré.

Peler les pommes. Les couper en tranches fines. Les étuver dans 40 g. de beurre avec la moitié du sucre pendant 15 minutes.

Délayer la maïzena dans un peu de lait froid. Verser dans le reste du lait bouillant. Ajouter le sucre et le beurre. Cuire 5 minutes en remuant. Hors du feu, incorporer les jaunes d'œufs, les pommes et les blancs montés en neige. Verser la masse dans un moule. Cuire au bain-marie 45 minutes.

Servir chaud ou froid.

Soufflé aux pommes ✕✕ ○○

Prép. : 1 h. Cuiss. : 40 mn.

4 pers.

50 g. de raisins de Corinthe / 600 g. de pommes / 160 g. de sucre / 1 cuil. à café de cannelle / 50 g. de beurre / 1/2 dl. de vin blanc sec / 100 g. d'amandes émondées / 5 œufs.

Faire gonfler les raisins dans de l'eau tiède.

Peler les pommes. Enlever le cœur. Les couper en quartiers. Les mettre dans une casserole avec la moitié du sucre, la cannelle, le beurre, le vin blanc. Cuire doucement 20 minutes. Passer au tamis. A feu vif, sécher la purée. Laisser refroidir. Couper les amandes en gros dés. Battre en mousse les jaunes d'œufs et le sucre restant. Les incorporer à la compote avec les amandes, les raisins égouttés et les blancs d'œufs montés en neige. Verser la masse dans un moule à soufflé beurré. Cuire au four, th. 7, 20 minutes.

Servir aussitôt.

Soufflé aux pommes entières

✗ ○○

Prép. : 35 mn. Cuiss. : 30 mn.

4 pers.

4 pommes / 2 cuil. à café de cannelle en poudre / 200 g. de sucre / 5 œufs / 1 verre à liqueur de cognac.

Eplucher les pommes. Les évider. Les disposer dans un moule beurré. Remplir le centre de cannelle et de sucre. Battre en mousse les jaunes d'œufs, le sucre restant et le cognac. Ajouter les blancs montés en neige ferme. Couvrir les pommes de la préparation. Cuire au four, th. 6, 30 minutes.

Servir aussitôt.

Soufflé au tapioca et aux pommes

XXX O

Prép. : 50 mn. Cuiss. : 40 mn.

4 pers.

600 g. de pommes / 1 citron / 1/2 l. de lait / 2 cuil. à café de vanille liquide / 100 g. d'amandes hachées / 125 g. de tapioca / 100 g. de beurre / 80 g. de sucre / 5 œufs.

Peler les pommes. Les couper en rondelles. Les citronner.

Faire bouillir le lait. Ajouter la vanille, la moitié des amandes. Verser en pluie le tapioca. Cuire doucement en remuant 10 minutes. Laisser refroidir.

Tourner en mousse 80 g. de beurre, le sucre et les jaunes d'œufs. Ajouter le tapioca, les pommes et les blancs montés en neige. Verser dans un moule beurré. Saupoudrer du reste d'amandes. Disperser des noisettes de beurre.

Cuire au four chaud, th. 7, 30 minutes.

Servir aussitôt.

Soufflé de riz aux pommes

XX O

Prép. : 50 mn. Cuiss. : 1 h.

4 pers.

50 g. de raisins de Corinthe / 125 g. de riz / 1/4 l. d'eau / 1/4 l. de lait / 100 g. de beurre / 2 cuil. à café de cannelle / 1 cuil. à café de vanille liquide / 500 g. de pommes / 1 verre de vin blanc sec / 5 œufs / 200 g. de sucre.

Faire gonfler les raisins dans de l'eau tiède.

Faire bouillir le lait et l'eau. Ajouter 50 g. de beurre, 1 cuillerée à café de cannelle. Verser le riz. Cuire 20 minutes. Egoutter.

Eplucher les pommes. Les couper en fines lamelles. Etuver 10 minutes à feu doux avec le beurre restant et le vin. Réduire tout le liquide.

Battre en mousse les jaunes d'œufs et le sucre. Ajouter le riz, les pommes, les raisins, les blancs montés en neige, la cannelle et la vanille.

Verser dans un moule à soufflé beurré. Cuire au four, th. 6, 30 minutes.

Servir aussitôt.

Chaussons aux pommes

✗✗ ◯◯

Prép. : 1 h. 15 mn. Cuiss. : 30 mn.

Macération : 1 h. - 4 pers.

1 kg. de pommes / 1 verre à liqueur de kirsch / 1 citron non traité / 100 g. de noisettes en poudre / 100 g. de sucre / 1 cuil. à café de vanille liquide / 1 cuil. à café de cannelle en poudre / 500 g. de pâte feuilletée / 1 dizaine de cerises au kirsch / 1/2 dl. de lait.

Peler les pommes. Les couper en deux. Enlever le cœur. Les couper en tranches. Arroser du kirsch et du jus de citron. Laisser macérer 1 heure.

Dans un bol, mélanger la poudre de noisettes, le sucre, la vanille, la cannelle et le zeste de citron.

Etaler la pâte. La découper en cercles de 10 cm de diamètre. Enrober les tranches de pommes de la préparation. Les disposer sur des cercles de pâte. Placer une demi-cerise au centre. Humecter les bords. Souder en appuyant. Faire 2 petites fentes sur le dessus. Placer sur une tôle beurrée. Dorer au lait.

Cuire au four, th. 6, 30 minutes. Décoller au sortir du four.

Tourte aux pommes   ✕✕ ○

Prép. : 1 h. 15 mn. Cuiss. : 30 mn.

4 pers.

500 g. de pâte feuilletée / 180 g. de sucre / 1 cuil. à café de cannelle / 1/4 de cuil. à café de noix de muscade / 1 cuil. à soupe de farine / 1 kg. de pommes coupées en tranches fines / Le jus d'un demi-citron / 40 g. de beurre.

Foncer un moule à tarte beurré sans tendre la pâte avec les 2/3 de la pâte feuilletée.

Dans un saladier, mélanger le sucre, la cannelle, la noix de muscade, la farine, les pommes citronnées.

Garnir le moule de la préparation en faisant bomber au milieu. Parsemer de noisettes de beurre. Poser au-dessus un disque de pâte un peu plus grand que le moule. Souder les bords avec un peu d'eau. Aménager une cheminée au centre. Enduire de beurre fondu. Cuire au four, th. 6, 30 minutes.

Servir chaud.

80

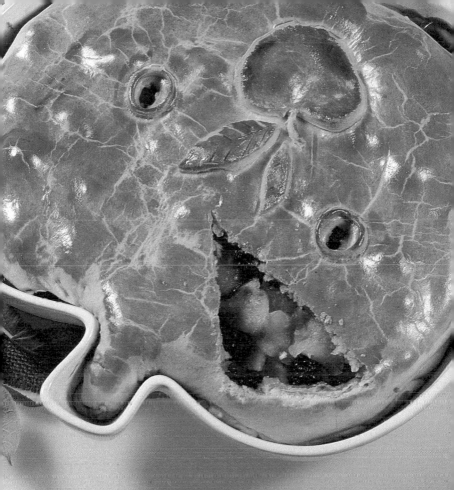

Tourte aux pommes et aux mûres

XX O

Prép. : 1 h. Cuiss. : 35 mn.

4 pers.

500 g. de pommes / 180 g. de sucre / 50 g. de beurre / 1 kg. de mûres lavées et égouttées / 300 g. de pâte brisée.

Eplucher les pommes. Les couper en tranches. Enlever le cœur. Les mettre dans une casserole avec 50 g. de sucre et le beurre. Cuire 5 minutes. Laisser refroidir.

Disposer les mûres dans une tourtière beurrée. Recouvrir de 100 g. de sucre et des tranches de pommes. Etaler la pâte. La placer au-dessus des fruits. La rentrer à l'intérieur du moule le long des parois. Faire une cheminée au centre. Humecter le dessus. Saupoudrer du sucre restant. Cuire au four, th. 4, 35 minutes.

Servir chaud.

Pie aux pommes

✕✕ ◯◯

Prép. : 40 mn. Cuiss. : 40 mn.

4 pers.

300 g. de pâte feuilletée / 2 kg. de pommes / 150 g. de
sucre / 1 verre à liqueur de Grand-Marnier / 1 jaune
d'œuf / Pour servir : crème fraîche.

Peler les pommes. Enlever le cœur. Les couper en
lamelles. Les mettre dans une casserole. Ajouter 130 g.
de sucre, 1 verre d'eau et cuire à feu moyen 15 minutes.

Ajouter le Grand-Marnier. Verser la compote dans
des ramequins individuels allant au four. Les recouvrir
d'une abaisse de pâte en la glissant à l'intérieur du
moule. Faire une cheminée au centre. Dorer à l'œuf.
Saupoudrer du sucre restant. Cuire à four doux, th. 4,
25 minutes.

Servir chaud accompagné de crème fraîche.

Strudel autrichien

✗✗✗ ◯◯

Prép. : 1 h. Cuiss. : 40 mn.

Repos : 1 h. - 4 pers.

75 g. de raisins de Corinthe / 1/2 verre à liqueur de rhum / 250 g. de farine / 2 œufs / 80 g. de beurre fondu / 1,5 dl. d'eau / 1 cuil. à café de vanille liquide / 150 g. de sucre semoule / 1 zeste de citron / Sel / 400 g. de pommes / 100 g. de confiture de groseilles / 30 g. de sucre cristallisé.

Faire gonfler les raisins dans le rhum.

Dans une terrine, verser la farine. Faire un puits et ajouter les œufs, 50 g. de beurre fondu, l'eau tiède, la vanille, le zeste de citron et un peu de sel. Travailler vigoureusement. Laisser reposer 1 heure.

Éplucher les pommes. Enlever les cœurs. Les couper en très fines lamelles.

Abaisser finement la pâte sur un torchon fariné. La couvrir d'une couche de confiture de groseilles. Poser les pommes au-dessus. Parsemer des raisins.

En s'aidant du torchon, rouler la pâte en spirale. Souder les extrémités avec un peu d'eau. Déposer le strudel sur une plaque beurrée. Badigeonner du beurre restant fondu. Saupoudrer du sucre cristallisé. Cuire au four, th. 6, 40 minutes.

Tarte aux pommes ✗○

Prép. : 40 mn. Cuiss. : 40 mn.

4 pers.

1 kg. de pommes / 300 g. de pâte brisée / 150 g. de sucre en poudre / 100 g. de crème fraîche / 2 œufs / 1 dl. de lait / 1/2 cuil. à café de cannelle en poudre.

Eplucher et épépiner les pommes. Les couper en tranches fines.

Abaisser la pâte. Foncer un moule beurré. Piquer le fond avec une fourchette. Disposer les quartiers de pommes en les chevauchant. Saupoudrer d'un peu de sucre.

Cuire au four chaud, th. 6, 25 minutes.

Dans une terrine battre les œufs, le reste du sucre, le lait et la crème. Verser sur la tarte. Continuer la cuisson 15 minutes. Au sortir du four, saupoudrer de cannelle.

Servir tiède.

Tarte autre manière ✗○

Prép. : 25 mn. Cuiss. : 30 mn.

4 pers.

300 g. de pâte brisée / 2 grosses pommes / 125 g. de beurre / 200 g. de sucre / 4 œufs / 50 g. de farine / Sucre glace.

Etaler la pâte brisée. Foncer un moule.

Eplucher les pommes. Les couper en petits dés. Les répandre sur la pâte.

Faire fondre le beurre. Hors du feu, ajouter le sucre, les œufs un à un, en tournant, puis la farine. Couvrir la tarte de la préparation.

Cuire au four, th. 6, 30 minutes.

Servir tiède ou froid, parsemé de sucre glace.

Tarte aux pommes et aux amandes

✕○

Prép. : 35 mn. Cuiss. : 45 mn.

4 pers.

200 g. de farine / 100 g. de beurre / 160 g. de sucre / 1 verre à liqueur de kirsch / 1 kg. de pommes reinettes / 1 dl. d'eau / Cannelle en poudre / 50 g. d'amandes effilées.

La veille, malaxer rapidement la farine, le beurre, 30 g. de sucre et le kirsch. Laisser reposer au frais.

Peler les pommes. Enlever le cœur et les pépins. Les couper en quartiers. Cuire à feu doux 15 minutes avec l'eau, le sucre restant et la cannelle. Passer au tamis. Laisser refroidir.

Réserver un peu de pâte. Foncer un moule du reste. Verser la compote de pommes. Garnir de croisillons de pâte. Cuire au four, th. 6, 30 minutes.

Griller doucement les amandes. Au sortir du four, en saupoudrer la tarte.

Servir tiède.

Tarte Tatin

Prép. : 50 mn. Cuiss. : 40 mn.

4 pers.

1,5 kg. de pommes Calville / 250 g. de pâte brisée / 180 g. de sucre en poudre / 1/2 verre d'eau / 60 g. de beurre.

Préparer la pâte brisée.

Dans un moule à tarte, faire un caramel avec 150 g. de sucre et l'eau.

Napper les bords du moule. Laisser refroidir.

Peler les pommes. Les couper en quartiers. Les disposer serrées sur le caramel. Saupoudrer du reste de sucre. Parsemer de noisettes de beurre.

Découper un disque de pâte. Le poser sur les pommes en faisant glisser les bords entre les pommes et le bord du moule. Cuire au four, th. 6, 35 minutes.

Démouler chaud en renversant sur un plat de service.

Beurre aux pommes ✕ ∞

Prép. : 1 h. Cuiss. : 4 h. env.

2 kg. de pommes acides / 1/2 l. de cidre / Prévoir environ 1 kg. de sucre cristallisé spécial confiture (il faut 1/2 tasse de sucre pour 1 tasse de purée de pommes) / 1 bâton de cannelle, 1 gousse de vanille, 4 clous de girofle dans une mousseline / Bocaux à stériliser avec caoutchouc / 2 verres à liqueur d'eau-de-vie de fruit.

Laver les pommes. Les couper en morceaux avec la peau et les pépins. Les mettre dans une bassine émaillée avec le cidre. Porter sur le feu. Laisser mijoter 25 minutes en remuant de temps en temps. Passer au tamis.

Mesurer la purée de pommes. Verser le sucre nécessaire. Ajouter la cannelle, la vanille, le clou de girofle. Cuire 4 heures à feu doux en remuant souvent. La cuisson est terminée quand une goutte de beurre aux pommes déposée sur une assiette froide ne coule pas si on penche l'assiette. Retirer les épices. Verser dans des pots ébouillantés et égouttés. Couvrir d'eau-de-vie et enflammer. Fermer le pot en flammes. Conserver au frais.

Chutney aux pommes XX ∞

Prép. : 75 mn. Cuiss. : 2 h.

Pour 1,5 l.

1,500 kg. de pommes vertes / 300 g. de pruneaux / 500 g. d'oignons hachés / 500 g. de grains de raisins (blanc ou noir) / 1 dl. de vinaigre blanc / 400 g. de sucre / 1 cuil. à café de poudre de girofle / 1 cuil. à café de cannelle / 1 cuil. à café de gingembre râpé / 2 cuil. à café de sel / 1 cuil. à café de poivre / Piment de Cayenne (facultatif) / 3 bocaux de 1/2 l. + caoutchoucs, alcool à 90°.

Dans une casserole d'émail, porter à ébullition le vinaigre. Ajouter le sucre, le girofle, la cannelle, le gingembre, le sel, le poivre, le piment, les pommes épluchées et coupées en dés, les pruneaux en morceaux, les oignons et les raisins. Cuire à feu très doux 2 heures.

Ebouillanter les bocaux et les rondelles de caoutchouc. Egoutter. Les remplir de la préparation bouillante. Verser 1 cuillerée à soupe d'alcool au-dessus et enflammer. Fermer aussitôt.

Conserver au frais.

Confiture de myrtilles et ✂✂ ∞
de pommes
Macération : 1 h. Prép. : 1 h. 25 mn.

Cuiss. : 3 h. 30 mn. env.

500 g. de myrtilles / 250 g. de pommes / 600 g. de sucre cristallisé spécial confiture / 1 citron non traité / 1 gousse de vanille / Eau-de-vie de fruit.

Trier les myrtilles. Les saupoudrer de la moitié du sucre. Laisser macérer 1 heure dans une terrine. Egoutter.

Peler les pommes. Recueillir la peau et les pépins dans une mousseline. Les mettre dans une bassine en émail avec les pommes et le jus des myrtilles, le reste du sucre, le zeste de citron et la vanille. Porter à ébullition. Cuire doucement 3 heures en remuant. Introduire les myrtilles et le jus de citron. Poursuivre la cuisson 30 minutes. Ecumer. Laisser un peu tiédir.

Répartir dans des pots. Poser une rondelle de papier imbibée d'eau-de-vie. Couvrir d'un papier cellophane. Conserver au frais.

Confiture de rhubarbe ✂ ○
aux pommes
Prép. : 50 mn.

Cuiss. : 2 h. 15 mn. env.

1 kg. de rhubarbe / 1 citron non traité / 1 kg. de pommes / 1 kg. de sucre cristallisé spécial confiture / 4 cuil. à soupe d'eau-de-vie de fruit.

Peler les grosses tiges de la rhubarbe fraîche. Les couper en dés. Arroser du jus de citron. Conserver la peau. Laisser macérer 1 nuit.

Le lendemain, verser le jus dans une bassine en émail. Ajouter les pommes épluchées et coupées en quartiers, le zeste du citron et le sucre. Cuire doucement 2 heures. Verser la rhubarbe dans la bassine. Poursuivre la cuisson 15 minutes.

Laisser un peu tiédir. Remplir les pots. Poser une rondelle de papier imbibée d'eau-de-vie de fruit. Couvrir d'un papier cellophane. Conserver au frais.

Gelée de pomme

Prép. : 1 h. Cuiss. : 4 h. 30 mn. env.

2 kg. de pommes encore vertes / Prévoir environ 1 kg. de sucre cristallisé spécial confiture (il faut 750 g. de jus de pomme pour 500 g. de sucre) / 1 citron / Bocaux à stériliser avec caoutchouc / 2 verres à liqueur d'eau-de-vie de fruit.

Laver les pommes. Les couper en morceaux avec la peau et les pépins.

Dans une casserole en émail, les couvrir d'eau. Cuire à feu doux 15 minutes.

Laisser un peu tiédir. Passer au travers d'un torchon. Recueillir le jus. Le peser. Ajouter le sucre nécessaire, le zeste et le jus de citron. Cuire en remuant jusqu'à consistance de gelée et en écumant (la cuisson est terminée quand une goutte de gelée aux pommes déposée sur une assiette froide ne coule pas si on penche l'assiette).

Verser bouillant dans les pots ébouillantés et égouttés. Couvrir d'eau-de-vie et enflammer. Fermer le pot en flammes. Quand la flamme s'éteint, le bocal est stérilisé. Conserver au frais.

Pommes séchées ✕✕✕ ◯

Prép. : 30 mn. Cuiss. : 6 h.

Pommes bien mûres.

Peler les pommes. Les couper en tranches. Enlever le cœur. Les placer sur des claies (ficelles tendues sur un cadre de bois) trois jours de grand soleil. Rentrer les claies pour éviter l'humidité de la nuit. Terminer de sécher en intercalant des passages au four, th. 2, pendant 3 heures.

Laisser la porte du four entrouverte. Vérifier la dissécation. Laisser refroidir. Conserver dans une caissette en bois dans un lieu aéré.

TABLE DES RECETTES

Pages

© S.A.E.P. Ingersheim 68000 Colmar
Dépôt légal 3ᵉ trim. 1989 - Imp. n° 1 657

ISBN 2-7372-2047-5
Imprimé en C.E.E.